una fiaba i

CW00664535

Peter Pan

Quinta ristampa, febbraio 2019

© 2011 Edizioni EL, via J. Ressel 5, 34018
San Dorligo della Valle (Trieste)
ISBN 978-88-477-2744-1

www.edizioniel.com

una fiaba in tasca

Peter Pan

da James Matthew Barrie

...raccontata da Roberto Piumini
illustrata da Nicoletta Costa

Edizioni EL

Vicino ai giardini di Kensington, a Londra, vivevano Wendy, Gianni e il piccolo Michele. Avevano una bambinaia molto speciale: una cagnona grande e dolce di nome Nana. E avevano un amico ancora più speciale: Peter Pan, che veniva a trovarli di sera insieme alla fata Trilly. Riordinando i pensieri dei bambini, mamma Darling trovava spesso immagini di quelle visite notturne.

Una sera l'ombra di Peter, catturata dalla cagnona Nana, finì in un cassetto. Quando Peter tornò a riprenderla, Wendy gliela ricucì. Peter la invitò a seguirlo all'Isolachenoncè. Anche Gianni e Michele, volando, seguirono la sorella. Nana, che quella sera era legata alla catena, riuscì a strapparla e a dare l'allarme: ma ormai i piccoli erano scomparsi nel cielo.

Volando giorni e notti, i piccoli arrivarono all'Isolachenoncè, dove vivevano molti animali, e Pellerossa, e Pirati, comandati dal perfido Capitan Uncino. Cominciarono i giochi: i Pellerossa cacciavano i Pirati, gli animali si cacciavano fra loro, e il coccodrillo, che aveva già assaggiato la mano destra di Uncino, inseguiva goloso il capitano, facendogli sentire il rumore minaccioso della sveglia che aveva in pancia.

Trilly, la fatina, era molto gelosa di Wendy, e la minacciava pericolosamente. Peter Pan, per proteggere l'amica, costruì allora una casetta sotterranea, dove la ragazzina accettò di fare da mamma a tutti i Bambini Smarriti che vivevano sull'isola: cucinava, cuciva, li faceva giocare. Anche Gianni e Michele vivevano con loro.

Un giorno i Pirati approdarono alla Roccia del Teschio, vicina alla casa dei Bambini. Avevano con loro una prigioniera: Giglio Tigrato, figlia del capo Pellerossa. Con un trucco Peter Pan la liberò, ma durante il combattimento con Capitan Uncino rimase ferito: per fortuna, quando ormai era nelle mani del pirata, si fece sentire la micidiale sveglia del coccodrillo, e Uncino fuggì terrorizzato.

Dopo molte avventure e battaglie, Pellerossa e Bambini diventarono amici. Mentre Wendy cuciva e cucinava, i Pellerossa stavano di vedetta. Alla sera, la ragazzina raccontava la sua storia e quella dei fratellini. Tutti, pieni di nostalgia, avevano voglia di tornare.

Peter capí che era il momento di lasciarli andare: li affidò a Trilly e ai Pellerossa per attraversare la foresta e riprendere il volo. Ma i Pirati li volevano rapire.

Capitan Uncino attaccò. Prima, con un inganno, fece uscire i Bambini dalla casa, e poi li catturò.

Mise anche un veleno mortale nel bicchiere di Peter.

Fu Trilly, però, a bere, e quasi morí: si salvò solamente perché i Bambini credevano ancora nelle fate. Poi partirono alla ricerca dei Bambini rapiti.

A bordo del Jolly Roger, la nave pirata, Uncino voleva gettare i Bambini in mare: ma ecco che il terribile tictac del coccodrillo lo congelò. Non veniva però dal coccodrillo, quel rumore minaccioso: la sveglia aveva esaurito la carica. Era Peter Pan che lo imitava, per prendere di sorpresa i Pirati e attaccarli insieme ai suoi amici.

A lungo infuriò la battaglia a bordo della nave: uno a uno i Pirati finirono in mare, compreso il perfido Uncino, che fu inseguito dal terribile coccodrillo fino all'orizzonte. Soltanto il pirata Spugna si salvò, e se ne andò poi per il vasto mondo. Invece Gentiluomo, un altro pirata, divenne bambinaia presso i Pellerossa.

A Londra, mamma Darling, papà Darling e Nana continuavano a sperare nel ritorno dei loro bambini. Ed ecco che, quella sera, volando, i piccoli ritornarono nei loro lettini, e chiamarono "Mamma!"

La gioia di tutti, lo si può immaginare, fu immensa: però Peter Pan non poteva rimanere in quella casa, perché non voleva crescere.

I Bambini Smarriti si presentarono, e papà e mamma Darling decisero di adottarli tutti.

Peter, prima di andarsene, chiese a Wendy di raggiungerlo a primavera all'Isolachenoncè, per fare le pulizie. Wendy accettò. E quando fu cresciuta, sposata, ed ebbe una bambina di nome Jane, fu quella ad andare ogni anno da Peter Pan, e poi ci andò Margaret, figlia di Jane, e poi altre bambine, per sempre.

una fiaba in tasca

Finito di stampare nel mese di gennaio 2019
per conto delle Edizioni EL
presso Elcograf S.p.A., Verona